中国风水第一城阆中古城,位于四川北部,嘉陵江中游。是人祖伏羲的孕育之地,城内有风水馆、张飞庙、贡院、天宫院、华光楼等著名景点。她与丽江古城、平遥古城、凤凰古城齐名。是中国颇具特色的旅游胜地。

阆苑仙境话生肖

摄影 潘明清

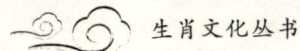 生肖文化丛书

生肖 你我她

SHENGXIAO NI WO TA 张瀚文 罗修德 著

解读你的运程
解读我的团队
解读她的姻缘

三秦出版社

图书在版编目（CIP）数据

阆苑仙境话生肖/张继军，罗修德著. —西安：三秦出版社，2009.9

（生肖文化丛书）

ISBN 978-7-80736-695-9

Ⅰ.阆... Ⅱ.①张... ②罗... Ⅲ.十二生肖-通俗读物 Ⅳ.K892.21-49

中国版本图书馆 CIP 数据核字（2009）第 168388 号

生肖文化丛书

生肖你我她——阆苑仙境话生肖

张继军　罗修德　著

出版发行	三秦出版社
	新华书店经销
社　　址	西安市北大街 147 号
发行电话	（029）87205106
垂询电话	（0817）6225777
邮政编码	710003
印　　刷	蓝田立新印务有限公司
开　　本	720×1000　1/32
印　　张	36
字　　数	66 千字
版　　次	2009 年 12 月第 2 版
	2009 年 12 月第 1 次印刷
印　　数	7001-12500 套
标准书号	ISBN 978-7-80736-695-9
单册定价	6.50 元
全套定价	78.00 元
网　　址	WWW.sqcbs.com

引 言

  盛唐双奇袁天罡、李淳风晚年退隐于被称为人间仙境的四川阆中,常常一起谈风论水推测后世,并遗存有大量的天象和风水方面的书籍,尤以《推背图》久负盛名。这套小书是风水馆张瀚文馆长和罗修德风水大师根据这些遗存,经过多年的研究编写而成的。

  阴历是世界上流传最久的历法。黄帝在位61年时,产生了一道十二官历法的首轮称为甲子,每一甲子为期60年,由5个分期构成,每个分期12年,我们称为五子运。每一年都以一个"动物符"作标记,我们称之为生肖。关于十二生肖源于何时及其排列,有各种传说,至今难以细考。这类故事,或似开心解闷的笑谈,或似贬恶扬善的寓言,文学成分较浓。

　　古代也有这样的传说,玉皇大帝99岁寿辰时,王母娘娘在阆苑仙境为他举行盛大的宴会,天上人间各路神仙纷纷前来贺寿,最先到来的动物神是老鼠,接着是牛、虎、兔、龙、蛇、马、羊、猴、鸡、狗、猪。玉皇大帝就按这些动物到来的先后顺序分别封以不同的年号,配以不同的时辰,作为对它们的赏赐。从此,"鼠咬天开"后的小老鼠就幸运地坐上了十二生肖的头把交椅,新一轮的五子运也从鼠年开始了。

　　代表生肖的动物符分别与自然界中的木、火、土、金、水五行相对应。五行又按磁场的正负极分为两极,即中国人所谓的阴和阳。

　　在阴历中,每天分为12更,每种动物符代表1更,昼始于子夜11时。阴历中的动物符对人的影响也是十分强烈的。属相中的12种动物分为阴阳两类。鼠、虎、龙、马、猴、狗属阳性，牛、兔、蛇、羊、鸡、猪属阴性。

12种动物属相除了其表示年的五行外，还有其固定的五行与季节对应。猪、鼠、牛为冬天，方位北方，季节色为蓝色，五行属水；虎、兔、龙为春天，方位东方，季节色为绿色，五行属木；蛇、马、羊为夏天，方位南方，季节色为红色，五行属火；猴、鸡、狗为秋天，方位西方，季节色为黄色，五行属金。

古代圣贤说，土生万物，因为它是金、木、水、火四行合一的象征，便不能与十二属相中任何动物相对应。有些算命人士指土为本行，从而以牛代水、龙代木、羊代火、狗代金。

在没有现代方法观测气象的时代，中国人便利用了阴历来预测雨雪到来的季节。时至今日，人们仍然相信阴历的真实可靠性。人们会发现，如果某年五行标志为水，那么这一年很可能会发生决堤或洪灾，这取决于阴阳两极哪个的影响力更强些。

你也许会对春季的第一天感兴趣，皇历中谈到，这一天鸡生的蛋能立起来，请你不妨试一试。如果有缘，你会见证的。阴历中春季到来的这一天称为"立春"，通常是阳历2月4日或5日。阴历节气是变化无常的，某些阴历年中也许会出现两次立春的情况，而某些阴历年根本不存在立春。中国的占卜者们称无立春之年为"盲年"，因为人们"看"不到春季的第一天。因此，在这样的年份里是忌讳娶亲的。

在这本小书中，你会发现、知晓深藏于你内心和他人内心深处的秘密。这样，你不仅会了解自己，而且还会知道你个人与事业的关系，知晓生活中会发生的事情。

同时这本小书能帮助你从另外一个角度观察自己，观察你宜与周围哪些人组成最好的朋友或团队，观察宜与哪个属相的人与你结合的婚姻是幸福美满的。它会使你理解主宰你的"狗"为什么会偶尔让你表现出急躁,属马的人易变、不安静特点的由来,以及为什么属龙的朋友会盛气凌人、花钱讲排场,还有蛇年出生的人为什么会有多疑的性格。你也许会吃惊地发现,有些工匠善于修理各种各样的东西,是因为他们出生于使他们聪明智慧的猴年。另外你还会看到那些动作迟缓、自信甚至保守的银行家们多是出生在充满自信的牛年。

也许这本书能让你进入理解命运和造化的神秘之门,甚至可以帮你作出重大决定。人生路上你会倾听蛇的机敏语言、寻求羊的温柔与同情心、获得猴的聪明智慧、共享马的快乐、欣赏兔的善交能力、用狗的忠诚交朋友、依靠虎的热情点燃生命之火、以鼠的勇于进取去完成伟业……

愿《生肖你我她》成为你为人处世的指南、美满婚姻的处方、幸福生活的源泉。

春

猪	乙亥	丁亥	己亥	辛亥	癸亥
狗	甲戌	丙戌	戊戌	庚戌	壬戌
鸡	癸酉	乙酉	丁酉	己酉	辛酉
猴	壬申	甲申	丙申	戊申	庚申
羊	辛未	癸未	乙未	丁未	己未
马	庚午	壬午	甲午	丙午	戊午
蛇	己巳	辛巳	癸巳	乙巳	丁巳
龙	戊辰	庚辰	壬辰	甲辰	丙辰
兔	丁卯	己卯	辛卯	癸卯	乙卯
虎	丙寅	戊寅	庚寅	壬寅	甲寅
牛	乙丑	丁丑	己丑	辛丑	癸丑
鼠	甲子	丙子	戊子	庚子	壬子
生肖\五子运	水运	火运	木运	金运	土运

冬 夏

秋

目 录

- 卯 兔 …………………………… 1
- 兔 年 …………………………… 3
- 属兔人的性格 ………………… 5
- 属兔的儿童 …………………… 11
- 属兔人的起名 ………………… 14
- 属兔人的五种类型 …………… 16
- 属兔人与时辰的对应关系 …… 22
- 属兔人在其他生肖年中的运程 ………… 35
- 属兔人生月趣解 ……………… 48
- 属兔人生日趣解 ……………… 52
- 属兔人的姻缘 ………………… 59
- 吉祥四季 平安一生 ………… 84
- 阆中风水博物馆 ……………… 86

卯 兔
(圆明园十二生肖铜兽首)

我的心脏
和宇宙的脉搏一起跳动
在安静和寂寞中
我听到了灵魂在歌唱
我超脱世俗
委曲求全
粉饰我的言辞
淡雅我的色彩
我是和平与谐调的集中表现
我是——兔

兔年吉星高照

平静的一年。在凶猛的虎年过后，这一年是受人们欢迎的，也是必要的。我们应当到一个安静的场所去包扎好伤口，在经历上一年大大小小的战争后得到些休整。

优美、文雅将普照着一切，人们将会承认开疏胜过暴力。这一年很惬意，外交、国际关系和政治会重新占据主要地位。人们会采取慎重行动的态度，并能有理智地做些让步。

但我们要当心不要太放纵，兔年会损害那些追求舒适的人的利益，使他们丧失效率和责任感。

这一年似乎没有人乐意为那些不愉快的事情烦恼。人们忙于享受，招待宾客，或者要大松一口气，呈现出一派安静、平和的景象，甚至退化到懒惰的地步。

属兔人的性格

兔年出生的人是十二属相中最走运的人之一。正像中国神话中所讲的，它是长寿的象征，是月亮的精灵。

在中秋节赏月时，小孩们提着纸兔灯笼爬上小山去观月并对玉兔表示羡慕。

兔子是仁慈、举止文雅、善忠告、和蔼及爱美的象征。他温柔的言辞和慈善、胆怯的生活方式，体现出一个成功的外交家和饱经风霜的政治家的一切思想品质。

兔年出生的人喜欢和平、安静和惬意的环境，他很含蓄，爱艺术并具有很强的判断力。他那善始善终的精神会使他成为一个很好的学者，他善于在政治领域和政府部门工作。

但他有时也会变得喜怒无常，在这个时候，他会背离自己的环境，或对人冷漠。

属兔人在商业及金融交易方面特别幸运。

由于在定约、成交方面很精明,他总能提出一个适宜的建议和候选方案,以使他从中获利。他在生意方面十分敏锐,加上谈判的诀窍,会使他在任何事业上得到迅速提高。

在人们印象中属兔人好像不会做坏事,他很少使用刺耳的话语,并从不用粗俗的言辞解释问题。他的外表令人深信不疑。他能用体面的外衣遮住本来面目,去伤害他的对手。当有事相求时,他会把你请到最好的餐馆,在你酒足饭饱并满意地抽着高级雪茄烟的时候,他会把合同书抽出来要你签,当你明白过来的时候已为时较晚。他很老练,甚至在别人不知不觉中,他的手脚就做完了,一切只是大笔一挥就完事了,你只不过是他的又一个受害者。现在你明白了为什么漫画上总是画着疯狂的小兔子从老虎嘴里得到胡萝卜了吧。

属兔人也许有时看上去慢条斯理,或过分审慎,这是由他小心谨慎的天性决定的。可以肯定他在签订任何文件前,要阅读大量有关资料。他有准确的评价人和估价形势的能力,并常以此为荣，事实也是如此。

严肃的属兔女士考虑问题很周全并能谅解她的朋友，她是一个可以与人和睦相处的姑娘，是一个逛商店的好伙伴，或是在一起讲故事聊天的朋友。她非常热情、聪明，伙伴们跟她在一起感到轻松愉快。她能精力充沛地做她喜欢的事，能把朋友婚礼的每个细节都筹划好，当她对那繁琐的仪式程序感到厌烦的时候，她就会丢掉手上的一切活计，独自悄悄地走开。

在任何情况下，她都能控制住自己，她会注意那辆逃跑汽车上的牌照号码或记住司机的穿着。当你在警察局里澄清问题时，她能默默地回忆起每一个细节，并帮助你回答所有棘手的问题。

他是一个真正懂得生活的人。而且他很能体谅别人的疾苦。他不是令人扫兴的或总盯着别人行动的纪律检查员。他知道什么时候应忍让，从不喜欢在公共场所拥抱任何人。

毫无疑问，他会把你的错误和进步看在眼

里，如果不是严重或不可救药，他会宽容你。由于他有这样的品质，人们很喜欢他，欢迎他。这种处世哲学使他很少有敌对面，并很少遇到麻烦。因为人们也同样慷慨地对待他。

除羊外没有人比属兔人更富有同情心。他很会安慰人，并能认真听你倾诉衷肠，而他只是充当一个被动的劝告角色。他是一个有知识的现实主义者，一个爱好和平的人。你期望他闹事，这对他来说太难了，我们要看到不管你跟他是多么好的朋友，他是不会跟你一起去基督山探险的。如果你极大地妨碍了他，他会迅速但却很仁慈地退出你的生活。

一位标致而文雅的属兔小姐宁愿与善良守旧的百万富翁结婚，也不愿找一个英俊的、一贫如洗的情人做配偶，因为前者能够给她提供优越的条件和她所需要的奢侈品。她的丈夫必须是一个能够保护她并能维持她豪华生活的人，一个当她情绪不好时，不去打扰她并能很有礼貌地离开她的人。

如果让他来选择生活道路，他会选择安逸

的生活方式，他或她总爱穿宽松舒适的衣服，一块貂皮或灰鼠皮披在她的肩上，看上去很随便，但从他们的穿着中一眼就可以看出是属兔的。

属兔的人异常殷勤、有礼，他的举止优雅迷人，具有绅士风度，尽管他为你唱赞歌，但同时他也在喝你最好的酒。是的，他们倾慕社会的精华和绅士般的悠闲，仔细想来，上层社会人的精华可能由自信、和蔼的属兔人组成。

人们会钦佩他的和蔼和机智，听取他那明智的劝告。他的缺点是：好想象，或过分敏感，尖刻，冷漠。他不愿经受人类间的苦难，就好像害怕传染病一样。

由于他很自信，所以他会把自己估价得高于一切，在逼迫下，他会放弃任何东西或者抛弃任何敢于扰乱他宁静生活的人，他的信仰以灵活多变而闻名，而且他有使双方都感到很保险的技巧。

贪图安逸、厌恶冲突的品质会给他带上弱者、机会主义和自我放任的坏名声。

属兔的儿童

兔年出生的孩子性格温顺，由于他具有平静、顺从的性格，所以他对父母的情绪很敏感，并能看父母脸色行事。他可能爱讲话或许相反，但从不粗野、吵闹，也不会令人讨厌。他能安静地、全神贯注地玩玩具或作游戏。

他通常睡觉不多，在生病时他会感到烦恼。他很遵守纪律，在学校里不会惹麻烦。他能很轻松地把功课学好。但尽管他的举止很文静，这并不意味着他会用温和的讲话方式与人争论。他能迅速地抓住一个问题的两个方面，机智地为他的论点辩解。

他能照料自己和保护他的财产。由于他观察力很强，能掐算到何时会有机会并按他的方式行事。微妙的小兔子不会直截了当破坏规章制度，而是小心迂回进行。简而言之，有时他的思想和行为令人费解。由于能圆滑地掩饰感情,他会对你讲一些让你高兴的话,从而使你按他的思路办事,可你对这些毫无察觉。一个有礼貌的小天使总能得到便宜。

他能以一种蔑视性或哲理性的冷漠来对待他人的责备。在摆脱挫折带来的影响后,他能耐心地从头开始。在家里他是父母的好帮手,在学校能够遵守校规,并能很快适应环境,因为他知道怎样与周围的人相处,怎样解决问题。请放心,各界人士都会接受他、喜欢他。

取名宜有"口""宀""冖"字,大吉,富贵满门;有"艹""禾""糸""米""豆""麦""染""稷""稻""叔"字,丰衣足食;有"木"字,天地人和。不宜有"心""忄"字,会有失落感;有"辰""龙""农"字,卯辰相害;有"日""月"字,会日月对冲;"人"字,会有守株待兔之果,有"大""君""王""冠""帝"字,兔为小动物,无福称"王"称"大";有"山""林""艮"字,山林猛兽太多,时有危险。

属兔的人的五种类型

金兔——1951年 2011年 2071年

金兔比其他要素的兔属相身体更健壮，意志更坚定。不喜欢妥协，他对自己的观察力和推理能力很自信，可以肯定，他对问题的解答多半正确。他能承担责任，并在工作中显示出极高的创造力。

金要素与他的属相结合使他变得更致力于他的愿望、目标和创造欲望。他十分狡猾，能把雄心隐藏起来。

他是一个极好的鉴赏家。他知道怎样文静地品尝生活奉献给他的好东西。他也许对别人的意见不感兴趣，但却能被艺术、音乐及其他美好的东西所感动。他的自信心和具有观察力的眼睛会使他成为任何一种创造性艺术形式的鉴赏家。如果他有财力的话，他也许会变成一个卓越的收藏家。由于他有很准确的鉴别能力和彻底献身工作的精神，所以无论做什么事情，他都能很快成功。

水兔——1903年　1963年　2023年

这是一种调解型的人，本性脆弱，易动感情。他不能忍受折磨或任何不愉快的事情，比如闹意见、与人口角等。也许这是由于他能十分精确地体会到别人的感情。

他具有极好的记忆力。也许能不知不觉地把思想传播给别人，把他所需要的人吸引住，并会惊奇地发现许多支持者在他没有料到的时候会团结起来保护他。

然而，他是一个主观主义者，他的眼力会被感情障碍所歪曲。他不很果断，在许多事情上会受到他人的支配。

他很烦闷，这使他常常沉湎于过去的往事，追忆很久以前的创伤，从而深深陷入自怜的情绪之中。在他消极的时候，他会怀疑其他人的动机，变得不爱讲话，并好胡思乱想。处在积极状态的时候，他能号召全部力量来支持他。

木兔——1915年　1975年　2035年

当木要素对这个属相的影响加强时，便产生出一个慷慨而宽容的属兔人，他有时对自己的错误也很宽容。他无疑有很大的雄心，但常常受到权威人士的恫吓，对别人所犯的错误熟视无睹，以维持现状。因此，他这种老好人的态度就被某些人所利用。

这种人通常过得很好。他会被大公司或其他机构所培养，并能够慢慢地、策略地登上成功的阶梯。他喜欢集体努力或共同工作，这能使他获得所需要的安全感，能放宽心。他很喜欢庇护同伙，当他不得不做出得罪人的决定时，也会想方设法阻碍事情的发展。不管他拒绝干涉或是参加到其中一方中去，都极容易把人伤害，包括他自己在内。所以他应学会辨别事物，并果断地处理问题，采取必要的措施与那些使他慷慨本性受到损害的人隔绝。他是个能屈能伸的人，并能适应任何选择。

火兔——1927年 1987年 2047年

这是一个感情非常外露、爱嬉戏并充满柔情类型的人。他比同属相其他的人性格更强。尽管火因素使他急躁,但他仍能以魅力和外交手段来掩饰自己的感情。

他的性格从容、自然。人们能对他的思想作出积极反响,因为他能把自己的思想表达得非常清楚。

火要素会使他感情冲动,毫无保留地表达他的思想。他比其他属兔人更能胜任做领导的工作,谨慎和温和对他的领导起辅助作用。尽管他很外向,并有进取精神,但永远不会同意与他的敌人直接对抗,他通常施以圆滑的手段或通过中间人与对方打交道,这是他的本性决定的。

这是一种很敏感的人,他对周围的变化感觉强烈,并很容易发怒,容易受到伤害或感到失望。在消极的时候,他精神变得异常敏感,他需要别人的鼓励和支持,以便迸发出希望的火花。

土兔——1939年 1999年 2059年

这是一种严肃而坚定型的人。他有明确的思维方式,并能招会算。在他向感情让步以前,总要深思熟虑。他那均衡、理智的性格,能够在他的上级那里赢得好感,就像他很现实地接近一个目标一样。

土要素使他更坚定,不放纵,尽管他的坚定有消极的一面。他的本性内向,当他被问题包围的时候,他会转向沉默,他的行动和思想总是一致的。他毫不犹豫地占用他所能得到的一切财力,并能谨慎地使用它们。

他是一个实用主义者,对别人的需要漠不关心,但却热衷于自己的生活。他不愿意公开承认自己有缺点,因而他总想暗暗地克服掉。

属兔人与时辰的对应关系

子时出生（鼠时辰）
——午夜 11 时至凌晨 1 时

敏锐、柔情，并且信息灵通。
在这个时辰出生的属兔人丢掉了他那
谦逊的性格而变得活泼起来，
因此他不会感到寂寞。

丑时出生（牛时辰）

——凌晨1时至3时

在牛的影响下，
这只兔子的行动比在正常情况下
更具有权威性。
牛的力量和自制力会使他走向成功。

寅时出生（虎时辰）
——凌晨3时至5时

讲话、思维都很迅速，
他心目中的虎使他更加好斗，
兔属相则起着控制他的作用。

卯时出生（兔时辰）
——早晨 5 时至 7 时

一个非凡的哲学家。

他从不采取任何行动，

因为他从不参与任何一方。

另有一件事是肯定的——

他能很好地照顾自己。

辰时出生（龙时辰）
——早晨7时至9时

他雄心勃勃，

坚忍不拔。

但如果没有必要的话，

他决不愿意亲自动手。

他能指挥其他人按他精心设计的计划行事。

巳时出生（蛇时辰）
——上午9时至11时

忧郁、沉思，

但过于自信，

他不可能听劝告，

对周围的事情很敏感并受其支配。

午时出生（马时辰）
——上午11时至下午1时

他是个快乐的人，
更具有马的自信。
两个属相有可能很好地结合，
因为他们都有迷人的本性。

未时出生（羊时辰）
——下午1时至3时

他心目中的羊使他富有同情心并更慷慨大方。

他的性格可爱，

能容忍别人。

但他的花费可能要超过他的支付能力。

申时出生（猴时辰）
——下午3时至5时

很淘气，

引人发笑。

他的外交手段和冷静的外表对他的恶作剧

起着极好的掩护作用。

他时刻准备着干涉偷窃行为。

酉时出生（鸡时辰）

——下午 5 时至 7 时

受鸡的影响常常试着发表自己的见解。

他的意见值得一听，

因为他很敏感，

判断很正确。

戌时出生（狗时辰）
——晚7时至9时

他受到狗的影响，
变得更友好、直率，
他非常关心他人的快乐，
当需要他挺身而出的时候，
很少退缩。

亥时出生（猪时辰）

——晚9时至11时

猪能给兔子那优雅的情趣增添色彩。猪的影响能减弱兔子爱搬弄是非的本性，并使他倾向于能为别人提供方便。

属兔人在其他生肖年中的运程

鼠　年

对属兔人来说这一年是很好的、安稳的。

没有令人吃惊的大事件发生，

但也不像他所希望的那样有收获。

因在工作中或在家庭里不会遇到过多的反对，

所以进步是稳定的。

这段时间适于为将来做计划或购置财产。

牛 年

这是艰难、严酷的一年。

漫无目的的旅行或看不到预期效果的工作,

使他面对着失望。

他的健康可能发生问题,

这主要是由于过分焦虑引起的。

可能与一个所爱的人分离。

这一年不是他期望周围环境有所变化的时期。

计划不能按时完成。

虎 年

这一年必须格外小心，要讲策略，
因为他有被卷入冲突的趋势。
由于他的无理要求引起的诉讼案
或争端会很多。
要保管好钱财或在签署重要文件时特别小心，
但在其他方面，
他不会遇到太多困难，
并且在年底前能够有一些收获。

兔　年

这一年是非常吉利的一年。
他有被提升的希望,
或在事业上进步、财政上成功,
而且还会获得意想不到的收益。
实现计划是轻而易举的事。
家庭里或许有喜庆之事,
如迎接新成员的降生或旧成员的归来。

龙　年

今年无论是家庭还是事业都令他愉快，
但很忙。
他的钱财没有什么变化，
但还是会感到惬意和满足，
因为他得到的要比失去的多。
可能要结交有权势的新朋友，
这会对他很有用。

蛇 年

今年对他来说没有什么明显进步,
他可能不得不外出或面临各方面的困难。
由于他希望巩固或改善目前的地位,
所以更换住宅是必要的。
他很少有时间同家人在一起,
可能还有许多未计划到的开支。

马 年

相当好的一年在等待着他。

他会遇到一些对他有所帮助的人,

这些人乐意用他们的影响来使他获益。

他今年不会经受任何大动荡,

也不会生病,

于是能补偿先前的损失。

他今年可能有许多外出或请客的事情。

羊　年

极好的一年。
他会取得很大成绩,
并且他的计划进展顺利。
对他来说这一年是幸运的,
但他必须注意小节,
否则会给他以后清账带来麻烦。
他的家庭和工作不会有大问题。

猴　年

如果他不过分乐观的话,

这一年还是不错的。

由于可靠的同盟者的背叛,

金融交易及合同的签订

可能会遇到意外的困难或不能实现。

他的家庭生活会很平静,

但他可能要生几次小病,

从而妨碍他的进步。

鸡 年

因不断受挫,
从而使他的额外支出增加,
钱变得越来越少。
这时应与其他人合作,
一同度过难关。
今年他应保守一些,不要独立行动。
他能克服家庭和工作中的问题和障碍,
但要在他经历了许多磨难之后。

狗　年

这年对他来说将是很顺利的,

他会取得一些成绩或澄清过去的问题,

并会有时间得以休养。

家里也不会有麻烦。

但工作中可能受上级领导的批评,

或有同事妨碍他的工作。

猪　年

对他来说这是适中的一年。
事情比想象的要好。
他应非常现实地看问题，
并避免做出许诺和保证。
今年或许会遇到困难，
所以不要过分自信，
必须时刻提高警惕来保护他的利益。

属兔人生月趣解

生于正月

为人诚恳做事忠实，不浪费钱财。凡事亲为，对生活中经济预算有周详的计划，对任何朋友都一视同仁。甚得妻子之力家庭幸福，是一个好丈夫。

生于二月

行动十分保守、慎重，有时也冲动，个性乐观。待人宽厚，责己甚严，在朋友眼里是很受爱戴的人，可惜健康有点麻烦。

生于三月

聪敏活泼，做事开始是相当热情的，但经不起考验，过了一阵之后变得消极甚至不顾他人劝告。有成功的条件，但欠持续精神，幸而头脑精明。

生于四月

文质彬彬，适应能力很强，能够在任何的环境里都能头头是道，不受地域之限制，与他往来的商贩也大多都有些特性。由于不稳定于一处，家庭观念似乎淡薄一些。

生于五月

幼年在家,甚得长辈爱护,是娇生惯养的人,成年后出社会则欠缺冲劲,依靠人成事的多,自己开创的少,家庭有贤内助,懂生活、会享受。

生于六月

为了帮助别人,往往不怕麻烦,所以甚得人们的推崇,是社会福利工作者的最佳人物。不追求名利,也不计较个人得失,实在是个乐于助人的好人。

生于七月

男女倍感显耀,有暗合贵人相助,一生逢凶化吉,在物质和精神上,能得到无形的助力,遇到烦的事,也在不知不觉中似乎有贵人化解。真是幸福快乐的人,晚景更福顺。

生于八月

是个性坚强而有一点叛逆的人,青少年时期,由于不满足现状不喜欢在家庭享受物质生

活，想在外创造自己理想的环境，步入中年已
暂露头角。

生于九月

思想有时太固执，不肯听众人的意见而独来独往。成功来得并不容易，需经过一番努力，显露自己的才干，以后才会有人赏识的，往往成为幕后英雄。

生于十月

安乐荣华，不谋不就，清高平身，一生顺利。

生于十一月

情感特别丰富，也有悲天悯人之心，处事稍欠理智，有后悔的现象。应该远离酒色，避免找寻刺激，稳定后可成家。有移民机会。

生于十二月

外表似乎木纳，不善言笑，但求知欲很强，可以一天关起门来学习。不外出访友，是最宜在文学、艺术方面发展的人，还有独当一面的才能，家庭观念淡薄。

属兔人 生日趣解

生于初一

男士聪明好学，为人忠正不偏，重义轻财，喜助他人；女士活泼文静，易亲友邻，做事轻快利落，属旺夫之命。

生于初二

男女初期不平静，坎坷多见，烦心时有，但为人忠厚，重义守信，能吃苦，中晚余庆，妻财有余。属福晚之命。

生于初三

幼年不顺，青年运薄，亲朋难靠，自成家业，白手起家。女士温和，助夫益子。晚景不亏之命。

生于初四

多劳之命，家业有成，居所常换，离家创业，大有发展，初运不佳，中运较强。无亏之命。

生于初五

一生苦乐均有，为人处事，先难后易，身强力壮，心地慈悲，交缘广际，创业有成，婚格不错，男得好妻，女招好夫。大旺之命。

生于初六

天性忠厚，心眼好，得人一尺还人一丈，

处事公正，人缘极佳，男女皆属顾家命，家业中兴，衣食足用，晚年发达。大旺之命。

生于初七

聪明伶俐，反应快，做事专心，有始有终，一生不穷，好交朋友，早婚不宜，晚婚吉祥。属昌盛之命。

生于初八

先苦后甜，运开中后，财利艰难坎坷时有。三十五往后，可见风平浪静，家成业就。发达之命。

生于初九

一生联盟，信义可嘉，做事无虚，先难后易，初显平常，运开中年，持家隆兴，财禄足用，子女无缺。属福禄之命。

生于初十

婚运占优喜得妻力，衣食丰足，家业吉庆，喜好投机，天生胆大，虚荣心高，中年平平。属于福迟之命。

生于十一

初显不易，凡事多劳，亲朋难靠，宜离故土，外乡谋财，发达有成。晚景兴隆，昌盛之命。

生于十二

名利双收，有成功之数，近官见贵，桃花多见，春风得意中运甚佳，晚年稍差。普通之命。

生于十三

智慧出众，谋略高深，但心境不高，性情过刚，人缘欠佳，与人不和，独立自好。福晚高寿之命。

生于十四

男女皆很聪明，忍耐力强，能吃苦，初显多障，难关时有，取利艰难，自立奋斗，中年大发，名利双收。晚吉之命。

生于十五

苦乐参半，早运不佳，六亲少靠，多劳辛苦，祖业浅薄，无福承接，自立门户，自兴家业，中年大发，福晚之命。

生于十六

婚格俱佳，夫妻敬重。子妇恐刑克，好争斗，破前程。男宜离祖，他乡立业，发达有望，将来作为。有福寿长之命。

生于十七

为人厚重，男发清秀，女士聪明貌美，贵

人多，小人少，初平常，财利一般，中年富贵。金运之命。

生于十八

人品好，品质道德高尚受人敬仰。中年遇贵人命运通达，女命贤能，持家隆兴，子女无靠，自立而为，发家在晚年后，夫妻和合，家业隆兴，子女不缺，忠孝之家。福禄之命。

生于十九

有志气，意志坚强，处事果断，初显平平，中年发达，第三步运气开始渐入运旺，印显财丰，至晚有成。

生于二十

命格一般，祖基浅薄，六亲少靠，骨肉薄疏，宜离家外地发展，会有功成，发家有望，财禄可得。多寿之命。

生于二十一

吉在婚姻，男取好妻，得妻助力，家业中兴女招好夫，顾家勤俭多善，家业中年生兴。安乐之命。

生于二十二

天资聪明，知书达理，脾气好、人缘佳、为人和气。男得贤妻，吃苦耐劳，勤俭多善，

家业中年生兴。安乐之命。
生于二十三
命在先难后易，先苦后甜，早年多劳，财利浅薄，离乡外地发展，中年后财利丰盈。荣华之命。
生于二十四
初显较好，吃穿不愁，操心费力，身劳心累，六亲少援，离家外地发展，属于自强之命，普通一生。
生于二十五
聪明至贵，早出社会，技能出众，六亲少靠，喜得贤妻助力，家业中兴，子女不缺，寿长之命。
生于二十六
可算吉格，聪明好学，智力非凡，能成大业，近官利贵，一生显荣，光宗耀祖，夫妻和顺，财利多见。子孝荣华之命。
生于二十七
喜忧各半，夫妻和睦，白头偕老，左右逢源，功成可达，属于荣华长寿之命。
生于二十八
大为吉祥，男士清俊，得美妻助力，家业

隆兴春风得意,女士聪明善良,持家贤能,命在旺夫益子。属于成功之命。

生于二十九

先苦后甜,初显艰难,骨肉难靠。自谋发展,成功于中年,家业兴旺,财利不缺,晚景荣华,属寿长发福之命。

生于三十

事业高就,有一鸣惊人之势。享有祖荫,兄弟骨肉和合,财运旺兴,衣食足用,一生荣华,多福多寿之命。

属兔人的姻缘

古人认为，寰形相克图（下图）两端直接对应的属相是排斥的。

天　　　　　　　　　地

和　　　　　　　　　谐

兔+鼠

　　鼠太太爱好交际,活泼狡黠。兔丈夫性格温和,并不倾向于在事业上发奋,性格与他那合群的、欢乐的妻子颇不相同。但他们都爱好家庭生活,也都是实际的。她的热情和亲切能激起他的情绪。这是一对靠得住的伴侣。

兔+牛

兔丈夫优雅睿智，易受感动，肯接受新思想。牛太太则缺乏情感，迟钝麻木，理解不了他文雅的特性。他贪婪、放任、自私，而她实际、守规矩、训练有素。如果他们真心相爱，能够共同生活的话，就能互相补充对方的不足。

兔+虎

兔丈夫想象力丰富,性格温顺,喜欢致力于脑力的、有创造性的工作。虎太太喜欢幻想、感官的刺激和快乐。对于安静、单纯的兔丈夫来说,她实在是太强烈、太富于色彩了。她还认为兔丈夫既无个性又缺乏感情。他能为她解决遇到的难题,她却可能因粗心大意而不去听取。她能帮助他提高自信心,他对她教授的方法却并不热心。他们的结合是不合适的,一个人喜欢并追求的,却正是另一个人想回避的。

兔+兔

能够平静安宁地共同生活，他们都冷静、理智，肯于从事任何他们认为是实际和必要的事情。不过，他们仅仅能在基本点上做到互相满足，因为他们只打算为对方尽起码的责任，而不想做更多。属兔人都不具有无私和献身的性格，婚姻对于他们来说，是需要经过仔细权衡后，以平等承担责任来维持的事情。当一方认为自己所承担的已超过了应该承担的时候，双方就会有龃龉的事发生。他们都有天分，有很好的直觉，却不注意相互勉励。

兔+龙

她独立自在、活泼乐观,他能干、内向、精于算计。她能鼓舞他的情绪,使他对自己的目标更加雄心勃勃。他能教她与人交往时的一些权谋,以及良好的举止。他不在乎她在家中的专断地位,因为他知道她最终还是听从他的忠告。他能干而温和,她有足够的主见和果断。这是一个实际的、巩固的婚姻。

兔+蛇

如果他们能使对方的优点得到发扬的话,将是非常合适的一对。他很有潜力,想象力丰富、老练;她能下定获得成功的决心并促使他向着物质方面的目标努力。他们同样趣味高雅,天生喜欢追求悠闲和完美,但蛇太太对兔丈夫表达爱情的方式未免过于苛求。他们都冷静、善于思索,能从各种方面使矛盾变得尖锐,甚至使婚姻破裂。

兔+马

在做一件事之前,他们总想把事情想得很难,往往要反复地考虑。他总是受自己的感情和直觉的支配。他们都很实际,都只关心自己,所以不会努力调整相互间的关系。她厌烦他的深思熟虑和神经质,他讨厌她的没头脑、轻浮、贪图小利。当一个人想休息、想得到片刻安静时,另一个却偏要不停地折腾。这两个人是无法相处的。

兔+羊

他们可以容忍对方的摇摆不定。兔先生看重羊的同情心和情感气质,她喜爱他的仁爱、机敏和精明果断。她的依恋使他更加感到自己的重要,感到自己工作的意义。他能很好地倾听她的话,她所需要的同情、劝慰更甚于行动。他们都浪漫、亲切,将从家庭中享受极大的喜悦和满足。

兔+猴

两人相处会时时产生某种敌意。她是活跃的、很自满的,因自己的才智而骄傲,他常常因她而感到羞耻,痛恨他的深思熟虑和精心盘算。他们都能将对方看透,当他们互相注视时,都看不出对方有什么可使自己着迷的地方。这两种性格实际上是无法相处的,除非在这种关系中能有利可图。

兔+鸡

　　他喜欢被人迎合，受人服侍，而不照顾人。她太直率、太拘礼、太重效益，无法容忍他那难以预测的要求。他们都有知识，但也都很怪僻。他常常在心里暗暗盘算，她将他的过失记成一本账，总要与他算账。他们彼此都使对方感到不舒畅。

兔+狗

互益而一致的伴侣。他们对另一方提出的要求都是合乎情理的,并且都能使对方的感情得到满足。狗太太对丈夫忠实而挚爱,在他不赞同自己或心情不好时也仍然如此。她喜欢他的温和有手腕。他则指望得到她的支持和她对事物的合乎逻辑的判断。在两人中,她更坚韧,在他感到沮丧时,她会鼓励他,为他打气。而他则是善于思考而敏感的,他能了解究竟是什么事使她烦恼。

你我她

兔+猪

两人都能激起对方的兴趣和同情。他积极有才干、机敏,有摆脱困难的能力。她赞赏他的沉稳和优雅,常常向他让步。她依赖性强、大方、服从,她被他的专一所打动,为他的无私所吸引。他们从不互相挑剔,相信对方的祝福,这是一对能从对方得到满足和报答的伴侣。

鼠+兔

也许不是最佳选择。双方都是富有魅力的、愉快的,但都不是无私和乐于为他人奉献的人。他们可能是友好的、真挚的,但持久不变的共处会使双方感觉到不满足。他有占有欲、痴情,她却用被动消极来回报他的热情。最后双方的期望值都会大大降低。

牛+兔

兔太太感到牛丈夫最沉稳、实际和可信赖，而牛丈夫会发现兔太太喜欢交际，是富有同情心的温柔女人。他是严格的，会因她的没有条理而指责她，她因此会变得内向和过于敏感，但为相互了解而做出的努力是非常值得的。如果他们能做一些调整的话，他们的婚姻将是令人满意的。

虎+兔

端庄的兔太太会被忠诚坦率、令人动心的虎先生所吸引,但当她与他进一步接近时,又会被他的容易冲动和胆大包天所吓坏。他并不欣赏她的忧郁和烦闷不安的性格。她理智、合时宜,他却只受感情的支配,处世毫无权谋。她文雅、善感,他则冒冒失失,任其自然。他们必须付出很大努力,才能相互容忍。

龙+兔

她需要他的稳重和勇敢,他依赖她的能干和友谊。他强壮、坦直,她则宽容、圆滑,她将为他安排一个美妙舒适的家。她有适应能力,但情绪不稳定,不能保护自己。他以战士和保护者的身份维护着她。如果他们能为共同的幸福而奋斗,不让猥琐的事情或阴谋破坏他们的关系的话,他们的结合是很好的。

蛇+兔

兔太太是占支配地位的。有良好教养的她能够接受他的思维方式。他们有同样的孤傲,同样讲究的偏好,他们能够浪漫而理智地共同弹奏出悦耳的乐曲。不过,这两种性格总的来说都不是乐于助人的,当他们尽量表现自我、满足一时欲望时,往往会相互忽略。蛇丈夫具有极强的占有欲,而兔太太则并不像他。兔太太宽容、现实,当他陷入工作中,或者没有对她非常关注时,她不会太介意,只要他能供养这个家庭,肯为一切花销付账,她就满足了。相对地说,这是一对平静的伴侣。

马+兔

由于性格的差异而不太协调。他往往因她那超然、谨慎和无懈可击的态度而生气。如果他能打消她的疑虑，证明自己是个肯于奉献的、能挣钱养家的丈夫的话，她还是深情、能鼓励人和有风度的。对于她或其他人对自己抱有什么希望，马先生并不在乎，他只是随心所欲地朝自己喜欢的方向前进，他无疑会干得不错，但脆弱的兔太太却难以忍受这种反复无常和不安定的生活，结果是双方都感到不满足和不幸福。

羊+兔

两人个性相配达到极好的程度。如果让精明、乖巧、很有城府的兔太太来领导,她会帮助羊丈夫以他的天赋取得巨大成功。兔太太对富于情感、有时消极的羊丈夫来说堪称温柔,但当他过分慷慨或悲天悯人时,她也能很果断、理智,她为他提供了良好的工作环境,他也感谢她的指点和把他引上正路的微妙手段。双方对彼此的心境都很敏感、关注。这桩婚姻充满了爱和幸福。

猴+兔

　　他是个积极、创新的思考者和有魄力的实干家。她非常迷人、文雅，尽管有些肤浅。两人在追求他们的目标时都很有手腕，不露声色，猴丈夫需要在被人注意和夸奖中才能表现出友好和魅力，兔太太爱安静的环境甚于活跃的追求者。他以争吵为快，她则憎恶见解不合。他们有完全不同的生活方式。最终，双方都正视他们的处境，或给以调整，或探讨更好的解决方法。

鸡+兔

他们很难在对方身上寻觅到理想的爱情。两人的个性会发生激烈的冲突,并且都为对方的消极面而苦恼。他批评人时毫不留情、苛刻,但又过于热心。她是具有艺术气质的文静的知识型妇女,有些散漫,不愿刻苦工作。当勤奋而高效率的鸡丈夫与她相处一段后,她会觉得自己像个宗教法庭上的牺牲品,她无疑会表现出敌视和沉默的态度。鸡那种不老练和粗俗的作风并非故意,但他无法不伤害将同情、关切视如生命的兔太太。

狗+兔

能组成一个和谐、快乐的家庭。妻子富于幻想、妩媚、善于交际,丈夫豁达、爽快。他们以诚相待,都能在日常生活及应酬中获得乐趣。他们都喜欢有目的的活动,有天生的合作精神,并公开允许对方有一定程度的独立性。妻子对生活的舒适有近于奢侈的欲望,而丈夫并不追求物欲,晓事明理。他们可以充分展现自己的个性而互不排斥,这样的婚姻也是天衣无缝的。

猪+兔

丈夫豪爽，愿为温文尔雅的妻子奉献一切。妻子睿智、开朗、精细敏锐，足以拿出部分精力机敏地帮助丈夫，为他分忧，尽管丈夫并未意识到这一点。他喜欢妻子的善良、谨慎、从不吝啬，无论是她的感情，还是她所钟爱的物品都可慷慨给予。他并不自私，从不过多地要求她奉献。她也对丈夫的殷勤和慷慨大方感到满意。双方都认为他们的婚姻生活很充实。

吉祥四季 平安一生

春 夏 秋 冬

【生于春】吉祥方位：西方、西北方
吉祥颜色：白色、灰色、黄色
吉祥饰品：铜锣、金丝眼镜、金表
吉祥密码：酉、申、巳、丑、庚、辛
吉祥行业：从事与"金"相关的行业

【生于夏】吉祥方位：北方、东北方
吉祥颜色：蓝色、黑色、白色
吉祥饰品：孔子铜像、金链、蓝田玉、金笔
吉祥密码：子、丑、申、辰、亥
吉祥行业：从事与"水"相关的行业

【生于秋】吉祥方位：东方、东南方
吉祥颜色：绿色、黑色
吉祥饰品：木鱼、木佛珠、绿宝石、灵芝、竹板平安、人参王
吉祥密码：甲、乙、寅、卯、亥
吉祥行业：从事与"木"相关的行业

【生于冬】吉祥方位：南方、西南方
吉祥颜色：红色、紫色、黄色
吉祥饰品：红木用品、打火机、太阳画、牡丹花、玩具猫、骏马图
吉祥密码：午、寅、戌、巳、未
吉祥行业：从事与"火"相关的行业

风水博物馆

阆中风水博物馆是目前国内唯一以建筑风水为主题的人文旅游景点,分为博物、祭祀、吉祥物、风水讲堂、天一茶舍、三才书吧、青年旅舍等七个功能区。风水馆以易·卜为主脉,诠释神秘的中国风水。

千年风水古城,玄机尽藏馆中。